សំលេងទឹកផ្កាឈូក

សំលេងទឹកផ្កាឈូក

និពន្ធរឿងដោយ **ទូរឡា ពែរេ**
រចនារូបភាពដោយ **ខេតធី ហ្វ្លរេស**
រៀបចំប្លង់ដោយ **ភេតធ័រ ស្តូន**
បកប្រែដោយ **ម៉ារី ជា**

ISBN 978-952-357-615-5 (Hardcover)
ISBN 978-952-357-616-2 (Softcover)
ISBN 978-952-357-617-9 (ePub)
ការបោះពុម្មលើកដំបូង

រក្សាសិទ្ធិ © 2022 Wickwick Ltd

បោះពុម្មឆ្នាំ 2022 ដោយ Wickwick Ltd
ទីក្រុងហែលសីងគី ប្រទេសហ្វាំងឡ្យង់

The Swishing Shower, Khmer translation

Story by *Tuula Pere*
Illustrations by *Catty Flores*
Layout by *Peter Stone*
Khmer translation by *Mary Chea*

ISBN 978-952-357-615-5 (Hardcover)
ISBN 978-952-357-616-2 (Softcover)
ISBN 978-952-357-617-9 (ePub)
First edition

Copyright © 2022 Wickwick Ltd

Published 2022 by Wickwick Ltd
Helsinki, Finland

Originally published in Finland by Wickwick Ltd in 2021
Finnish "Sihisevä suihku", ISBN 978-952-325-460-2 (Hardcover), ISBN 978-952-325-462-6 (ePub)
English "The Swishing Shower", ISBN 978-952-325-457-2 (Hardcover), ISBN 978-952-325-459-6 (ePub)

Wickwick books are available at special discounts when purchased in quantity for premiums and promotions as well as fundraising or educational use. Special editions can also be created to specification. For details, contact specialsales@wickwick.fi.

សំលេងទឹកផ្កាឈូក

TUULA PERE · CATTY FLORES

Children's Books from the Heart

ទីលកំពុងលេងជាមួយគុំរូជីវិតដ្ឋនៅក្នុងបន្ទប់របស់គាត់។ គាត់អាចលឺសំលេងស្រែកចេញពីបន្ទប់ទឹកក្បែរនោះ។ ប្អូនប្រុសតូចរបស់គាត់ឈ្មោះ សេម កំពុងងូតទឹកផ្កាឈូកមុនពេលចូលគេង។

សេមស្រែក៖ "ខ្ញុំចង់ចេញក្រៅ! មានសាប៊ូនៅក្នុងភ្នែកខ្ញុំ!"

សំលេងចេញពីបន្ទប់ទឹកធ្វើអោយនីលមិនសប្បាយចិត្ត។ ប្អូនប្រុសតូចរបស់គាត់ខ្លាចទឹកផ្កាឈូក។

ទីលទៅបន្តូបទឹកដើម្បីមើលថាតើគាត់អាចជួយបានទេ។ ម៉ាក់កំពុងញ្ញាយាមបង្រៀនសេមឱ្យឈរនៅក្រោមទឹកផ្កាឈូក។ ប៉ុន្តែវាមិនងាយស្រួលទេ។ ក្មួនប្រុសតូចដែលមិនសប្បាយចិត្ត កំពុងឈរនៅជ្រុងម្ខាងនៃបន្តូប។

សេមទូទះ៖ "ទឹកផ្កាឈូកមិនល្អទាល់តែសោះ! ខ្ញុំចង់បានអាងកូនក្មេងរបស់ខ្ញុំវិញ។"

នីលសួរ៖ "ម៉ាក់ ហេតុអ្វីបានជាសេមត្រូវងូតទឹកផ្កាឈូកបើគាត់ខ្លាច?" "តើម៉ាក់មិនអាចគ្រាន់តែងូតទឹកឱ្យគាត់នៅក្នុងអាងទឹកកូនក្មេងបានទេ?"

ម៉ាក់ពន្យល់៖ "សេមមិនមែនជាកូនក្មេងតូចទៀតទេ។ គាត់ធំពេកហើយសម្រាប់អាងទឹកកូនក្មេង។"

និលញ្ញាយមចងចាំនៅពេលគាត់មានអាយុដូច សេម។ ដំបូងឡើយគាត់មិនចូលចិត្តងូតទឹក ផ្កាឈូកទេ ទោះបីគាត់ចូលចិត្តលេងទឹកក៏ដោយ។

បន្ទាប់មកនីលចងចាំនូវអ្វីដែលសប្បាយ - នឹ់ត្រចាស់ របស់គាត់។ គាត់ផ្ទាប់ងូតទឹកដោយឈរនៅក្រោមន៍ត្រ ខណៈពេលកំពុងច្រៀងច្រៀងភ្លេងជាមួយម៉ាក់។

នីលនិយាយដោយរំភើប៖ "ម៉ាក់ សេមត្រូវការនឹ់ត្រ ហើយបន្ទាប់មកយើងអាចច្រៀងជាមួយគ្នា!"

7

ប៊ូងម៉ាក់មើលទៅភ្ញាក់ផ្អើល ប៉ុន្តែបន្ទាប់មកនាងចងចាំល្បែង ដែលពួកគេឆ្លាប់លេងជាមួយគ្នា។

ម៉ាក់និយាយ៖ "នេះគឺជាគំនិតល្អណាស់នីល! យើង នឹងរកមើលអ័ត្រាស់របស់ងងសម្រាប់ថ្ងៃស្អែក។ វា ប្រហែលនៅក្នុងទូនៅក្នុងផ្លូវដើរក្នុងផ្ទះ។"

"ខ្ញុំនឹងទៅរកមើល!" នីលប្រញាប់ចូលទៅក្នុងផ្លូវ ដើរក្នុងផ្ទះ។

នៅពីក្រោយស្បែកជើងពួកគេ គាត់ឃើញអ័ត្រ គូចមួយដែលមានរូបសត្វលើវា។

បងប្រុសធំគិត ខ្ញុំប្រាកដថាសេមនឹង ចូលចិត្តគំនិតរបស់ខ្ញុំ។ ថ្ងៃស្អែកខ្ញុំនឹង ជួយគាត់សម្អាតខ្លួនមុនពេលចូលគេង ។

ដល់ពេលសម្ងាតខ្លួនមុនចូលគេងម្ងងទៀត។ សេមតូចឃ្យាយាម
រត់ចេញភ្លាមៗនៅពេលមាននរណាម្នាក់និយាយពីទឹក
ផ្កាឈូក។

នីលបង្ហាញត្រដល់ប្អូនប្រុសរបស់គាត់ ហើយសន្យាថាងូតទឹក
ផ្កាឈូកយប់នេះនឹងពោរពេញដោយភាពរីករាយ។ ពួកគេនឹងលេង
ហើយច្រៀង។

សេមទទូចៈ "ខ្ញុំមិនចង់អោយមានទឹកលើមុខខ្ញុំទេ!"

បងប្រុសផ្ដល់ទំនុកចិត្តដល់គាត់៖ "បង
សន្យាថានឹងមិនមានទឹកហូរពីលើក្បាល
ងងទេ។ នោះហើយជាមូលហេតុដែលយើង
មានអ័ត្រនេះ" "មើលខ្លួនងងទៅ!"

11

ម៉ាក់និងសេមមើលនីលបើកទឹកផ្កាឈូក ហើយ
ដើរក្រោមទឹកជាមួយន័ត្រ។ សេមចាប់ផ្ដើមសើច
នៅពេលដែលឃើញបងប្រុសគាត់លេងឡឺីករឡ្បក់។

នីលនិយាយៈ "តោះ ច្រៀងចម្រៀងភ្លៀងជាមួយគ្នា។"

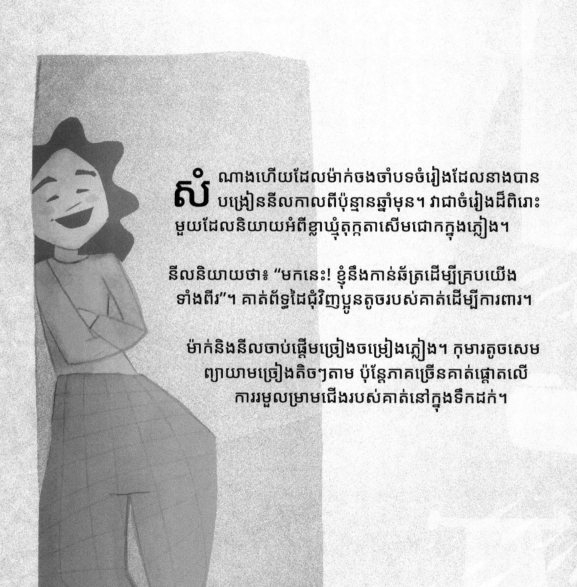

សំណាងហើយដែលម៉ាក់ចងចាំបទចំរៀងដែលនាងបាន បង្រៀននីលកាលពីប៉ុន្មានឆ្នាំមុន។ វាជាចំរៀងដ៏ពិរោះ មួយដែលនិយាយអំពីខ្លាឃ្មុំតុក្កតាសើមជោកក្នុងភ្លៀង។

នីលនិយាយថា៖ "មកនេះ! ខ្ញុំនឹងកាន់អំត្រដើម្បីគ្របយើង ទាំងពីរ"។ គាត់ព័ទ្ធដៃជុំវិញប្អូនតូចរបស់គាត់ដើម្បីការពារ។

ម៉ាក់និងនីលចាប់ផ្ដើមច្រៀងច្រៀងភ្លៀង។ កុមារតូចសេម ញ្ញាយាមច្រៀងតិចៗតាម ប៉ុន្តែភាគច្រើនគាត់ផ្ដោតលើ ការរមួលម្រាមជើងរបស់គាត់នៅក្នុងទឹកដក់។

បន្ទាប់មកសេមបានបន្ទាបលើតដួចបន្ទប់ទឹក ហើយជះទឹក ដោយប្រើដែរបស់គាត់យ៉ាងសប្បាយរីករាយ។

ម៉ាក់ដាក់ផុងទឹកនៅក្បែរក្បែងប្រុស ហើយច្របាច់ទឹកពពុះចូលក្នុង ទឹក។

ម៉ាក់និយាយទាំងញញឹមៈ "នេះគឺជាពពុះសម្រាប់កូន!"

សេមគូរទឹកសាប៊ូឱ្យឡើងពពុះហៀរលើសងខាងធុង។ នីលកាន់ ត្រៃដោយប្រយ័ត្នប្រយែងលើក្បាលរបស់សេម។

នៅ ពេលនីលងើបមុខឡើង ម៉ាក់បើកភ្នែកធំបន្តិច។ នីលអាចប្រាប់បានថា នាងកំពុងឆ្លល់ធ្វើយ៉ាងណាឱ្យសេមសម្លាតខ្លួន។ ជាពិសេសពិបាកកកំសកំ អោយសេមតែម្នាក់។

នីលញញឹមដាក់នាង៖ "ម៉ាក់បានរករឹរីលៀងសម្លាតខ្ញុំពីមុន ហើយខ្ញុំប្រាកដថាម៉ាក់ អាចរករឹរីល្អបំផុតដើម្បីសម្លាតសេមក្នុងទឹកផ្កាឈូកបាន!"

ហើយជាការពិតណាស់ ម៉ាក់ពិតជាធ្វើបាន។ នាងសម្លាតសេម ដោយក្លៀងស៊ើម ហើយបន្ទាប់មកជូតខ្លួនដើម្បីកុំឱ្យគាត់ ឈរនៅក្រោមទឹក។

ម៉ាក់និយាយថា៖ "កូនជាក្មេងប្រុសស្អាត មែនទែន!"

សេមមិនចូលចិត្តងូតទឹកផ្កាឈូកនៅឡើយ ទេ ប៉ុន្តែការលាងសម្លាតនៅយប់នេះពិតជា សប្បាយជាងយប់មុ្យលមិញ។ ថ្ងៃស្អែក ពួកគេនឹងហាត់អនុវត្តបន្ថែមទៀត។

នៅ ល្ងាចបន្ទាប់ សេមអង្គុយនៅក្រោមឆ័ត្រតែម្នាក់ឯង។ នីល និងម៉ាក់ច្រៀងចម្រៀងភ្លៀងដើម្បីលើកទឹកចិត្ត នៅក្បែរគាត់។

ដោយវំភើបចិត្ត សេមចាប់ផ្ដើមវាំក្រោមភ្លៀង។ ឆ័ត្រយោលយ៉ាងខ្លាំង ដែលទឹកក៏ស្រក់លើមុខរបស់គាត់ដែរ។

ប្អូនប្រុសតូចស្រែកខ្លាំង។ ហើយភ្ញាក់៖ "ទេ ទេ!"

នីលបង្ហាញគាត់ពីរបៀបដែលគាត់អាចបិទភ្នែកនិងមាត់របស់គាត់។ សេមយកតម្រាប់តាមគាត់។ ឥឡូវនេះគាត់លែងខ្លាច់ពីទឹកដែលចេញពីផ្កាឈូកហើយ។

បន្ទាប់ពីងូតទឹកផ្កាឈូកពីរបីដង ដោយមានជំនួយពីបងប្រុស របស់គាត់ សេមចាប់ផ្តើមទន្ទឹងរង់ចាំងូតទឹកមុនចូលគេង។

គាត់សួរ៖ "តើយើងនឹងលេងអ្វីពេលងូតទឹកផ្កាឈូកនៅថ្ងៃនេះ?"

នីលផ្តល់យោបល់៖ "យើងអាចបង្កើតហាងការហ្វេនៅ ទីនោះ?"

ពួកគេដាក់ថែងនិងកែវខ្លះនៅលើឥដ្ឋ បន្ទប់ទឹក។ ជាការសប្បាយរីករាយដែលបាន លេងរ៉ា។ ពួកគេធ្វើពុតថា ម៉ាក់គឺជាអតិថិជន របស់ពួកគេ ហើយយកកាហ្វេមកជូននាង។

22

មិនយូរប៉ុន្មានគេក៏លែងត្រូវការអត្រាចាស់ទៀតហើយ។

តទ្បេរនេះ សេមដឹងពីរបៀបបង្កកទឹកផ្លាឡ្លូកដោយខ្លួនឯងៗ គាត់ចូលចិត្តនៅពេលដែលទឹកក្លៀខ្ណ្ណាៗហូរចុះពីក្សោលរបស់គាត់ រហូតដល់ចុងជើង។ សាប៊ូសម្រាប់កុមារមានក្លិនឈ្ងុយ ហើយវាមិន ធ្វើឱ្យផ្នែករបស់គាត់ផ្សាឡើយ។

ម៉ាក់និយាយហើយបិទទឹកផ្លាឡ្លូក៖ "ដល់ម៉ោងគេងហើយ កូនប្រុស! យើងនឹងលេងទៀតនៅថ្ងៃស្អែក"

បងប្អូនដែលមានក្លិនផ្នែរប៉ោមបានពាក់អាវគេងយប់ដែលស្អាតរបស់ ពួកគេ។ តទ្បេរនេះ ដល់ពេលអានរឿងមុនពេលចូលគេងហើយ។

CPSIA information can be obtained
at www.ICGtesting.com
Printed in the USA
BVHW020226040122
625375BV00016B/362